L'ENFANT
ET
LES SORTILÈGES

COLETTE

L'ENFANT
ET
LES SORTILÈGES

illustrations
d'Adrienne Ségur

FLAMMARION ÉDITEUR

La scène représente une pièce à la campagne (plafond très bas), donnant sur un jardin. Une maison normande, ancienne, ou mieux : démodée ; de grands fauteuils, houssés ; une haute horloge en bois à cadran fleuri. Une tenture à petits personnages, bergerie. Une cage ronde à écureuil, pendue près de la fenêtre. Grande cheminée à hotte, un reste de feu paisible ; une bouilloire qui ronronne. Le Chat aussi. C'est l'après-midi.

L'Enfant, six ou sept ans, est assis devant un devoir commencé. Il est en pleine crise de paresse, il mord son porte-plume, se gratte la tête et chantonne à demi-voix :

J'ai pas envie de faire ma page,
J'ai envie d'aller me promener.
J'ai envie de manger tous les gâteaux.
J'ai envie de tirer la queue du chat
Et de couper celle de l'écureuil.
J'ai envie de gronder tout le monde !
J'ai envie de mettre Maman en pénitence...

> *La porte s'ouvre. Entre Maman (ou plutôt ce qu'en laissent voir le plafond très bas et l'échelle de tout le décor où tous les objets assument des dimensions exagérées, pour rendre frappante la petitesse de l'enfant), c'est-à-dire une jupe, le bas d'un tablier de soie, la chaîne d'acier où pend une paire de*

5

ciseaux, et une main. Cette main se lève, interroge de l'index, et la voix de Maman demande :

Bébé a été sage ? Il a fini sa page ?

L'Enfant ne répond rien et se laisse glisser, boudeur, en bas de sa chaise. La robe s'avance sur la scène, une main tendue au-dessus du cahier. L'autre main, plus haute, soutient un plateau portant la théière et la tasse du goûter.

MAMAN.

Oh ! Tu n'as rien fait ! Tu as éclaboussé d'encre le tapis ! Regrettes-tu ta paresse ?

Silence de l'Enfant.

MAMAN.

Promettez-vous, Bébé, de travailler ?

Silence.

MAMAN.

Voulez-vous me demander pardon ?

Pour toute réponse, Bébé lève la tête vers Maman et tire la langue.

MAMAN.

Oh ! ! !...

La jupe recule un peu. La seconde main dépose sur la table le plateau du goûter.

MAMAN, *sévère.*

Voici le goûter d'un méchant enfant : du thé sans sucre, du pain sec.

Restez tout seul jusqu'au dîner !

Et songez à votre faute !

6

Et songez à vos devoirs !
Songez, songez surtout au chagrin de Maman !...

> *La porte se rouvre, la robe s'en va, l'Enfant, resté
> seul, est pris d'une frénésie de perversité. Il trépigne
> et crie à pleins poumons vers la porte :*

L'ENFANT.

Ça m'est égal !
Justement j'ai pas faim !
Justement j'aime beaucoup mieux rester tout seul !
Je n'aime personne !
Je suis très méchant !
Méchant ! méchant ! méchant !

> *Il balaie d'un revers de main la théière et la tasse,
> en mille morceaux. Puis, il grimpe sur la fenêtre,
> ouvre la cage de l'écureuil, et veut piquer la petite
> bête avec sa plume de fer. L'écureuil, blessé, crie
> et s'enfuit par l'imposte ouverte de la croisée.
> L'Enfant saute à bas de la fenêtre et tire la queue
> du chat, qui jure et se cache sous un fauteuil.*

L'ENFANT, *hors de lui.*

Hourrah !

> *Il brandit le tisonnier, fourgonne le feu, y renverse
> d'un coup de pied la bouilloire : flots de cendre et
> de fumée.*

L'ENFANT, *de même.*

Hourrah ! Hourrah !

> *Il se sert du tisonnier comme d'une épée pour attaquer
> les petits personnages de la tenture, qu'il lacère :
> de grands lambeaux de tenture se détachent du mur
> et pendent.*

7

L'ENFANT, *hurlant.*

Hourrah !

Il ouvre la boîte de la grande horloge, se pend au balancier de cuivre, qui lui reste entre les mains. Puis, avisant sur la table les cahiers et les livres, il les met en pièces, en riant aux éclats.

Hourrah ! Plus de leçons ! Plus de devoirs ! Je suis libre, libre, méchant et libre !

Saoul de dévastation, il va tomber essoufflé entre les bras du grand fauteuil couvert d'une housse à fleurs. Mais, ô surprise ! les bras du fauteuil s'écartent, le siège se dérobe, et le Fauteuil, clopinant lourdement comme un énorme crapaud, s'éloigne.

L'ENFANT, *saisi.*

Ah !...

Ayant fait trois pas en arrière, le Fauteuil revient, lourd et goguenard, et s'en va saluer une petite bergère Louis XV, qu'il emmène avec lui pour une danse compassée et grotesque. Pendant qu'ils dansent :

LE FAUTEUIL.

Votre serviteur humble, Bergère.

LA BERGÈRE, *avec révérence.*

Votre servante, Fauteuil.

LE FAUTEUIL.

Nous voilà donc débarrassés
A jamais de cet Enfant
Aux talons méchants.

A. SEGUR

LA BERGÈRE.

Vous m'en voyez, vous m'en voyez aise !

LE FAUTEUIL.

Plus de coussins pour son sommeil,
Plus de siège pour sa rêverie,
Plus de repos pour lui que sur la terre nue.
Et encore... qui sait ?

LA BERGÈRE.

Et encore... qui sait ?

LE FAUTEUIL.

Le Banc, le Canapé, le Pouf...

LA BERGÈRE.

... et la Chaise de paille...

LE FAUTEUIL.

Ne voudront plus de l'Enfant.

> *Les meubles que viennent de nommer le Fauteuil*
> *et la Bergère lèvent, qui les bras, qui les pieds, et*
> *répètent en chœur :*

Plus de l'Enfant !

> *Immobile de stupeur, l'Enfant, adossé au mur, écoute*
> *et regarde.*

L'HORLOGE COMTOISE, *sonnant et chantant.*

Ding, ding, ding, ding, ding, ding ;...
Et encore ding, ding, ding !
Je ne peux plus m'arrêter de sonner !
Je ne sais plus l'heure qu'il est !
Il m'a ôté mon balancier !

J'ai d'affreuses douleurs de ventre !
J'ai un courant d'air dans mon centre !
Et je commence à divaguer !

> *Sur deux pieds, qui dépassent sous sa chemise de bois, l'Horloge avance. Elle a une ronde petite figure rose à la place de son cadran, et deux bras courts gesticulant.*

L'ENFANT, *effrayé.*

Ah ! L'Horloge marche !...

L'HORLOGE, *marchant et sonnant.*

Ding, ding, ding...
Laissez-moi au moins passer,
Que j'aille cacher ma honte !
Sonner ainsi à mon âge !
Moi, moi qui sonnais de douces heures,
Heure de dormir, heure de veiller,
Heure qui ramène celui qu'on attend,
Heure bénie où naquit le méchant Enfant !
Peut-être que, s'il ne m'eût mutilée,
Rien n'aurait jamais changé
Dans cette demeure.
Peut-être qu'aucun n'y fût jamais mort...
Si j'avais pu continuer de sonner,
Toutes pareilles les unes aux autres,
      Les heures !
Ah ! Laissez-moi cacher ma honte et ma douleur
      Le nez contre le mur !

> *Sonnant lamentablement, elle traverse la scène, s'en va à l'autre bout de la pièce, face au mur et redevient immobile.*
> *On entend deux voix nasillardes au ras du sol.*

11

LA THÉIÈRE, *Wedgwood noir.*

How's your mug ?

LA TASSE CHINOISE.

Rotten !

LA THÉIÈRE.

...better had...

LA TASSE.

Come on !

LA THÉIÈRE, *à l'Enfant, avec une menace doucereuse*
et des manières de champion de boxe.

Black, and costaud
Black, and chic, and jolly fellow,
I punch, sir, I punch your nose,
I knock out you, stupid chose !
Black, and chic, and vrai beau gosse,
I boxe you, I marm'lad you...

LA TASSE, *à l'enfant,*
en le menaçant de ses doigts pointus et dorés.

Ping, pong, ping, pong,
Keng-ça-fou, Mah-jong,
Keng-ça-fou, puis-kong-kong-pran-pa,
Ça-oh-râ toujours l'air chinoâ.
Ces-ka-ra, harakiri, Sessue Hayakawa
Kek-ta fouhtuh d'mon Kaoua ?

L'ENFANT, *atterré.*

Oh ! Ma belle tasse chinoise !

Le soleil a baissé. Ses rayons horizontaux deviennent
rouges. L'Enfant frissonne de peur et de solitude ;
il se rapproche du feu qui lui crache au visage une
fusée étincelante.

13

LE FEU, *bondissant hors de la cheminée,*
mince, pailleté, éblouissant.

Arrière ! Je réchauffe les bons, mais je brûle les méchants ! Petit barbare imprudent, tu as insulté à tous les Dieux bienveillants, qui tendaient entre le malheur et toi une fragile barrière ! Tu as brandi le tisonnier, renversé la bouilloire, éparpillé les allumettes, gare ! Gare au Feu dansant ! Tu fondrais comme un flocon sur sa langue écarlate !

Le Feu s'élance, et poursuit d'abord l'Enfant qui s'abrite derrière les meubles. Derrière le Feu, née sous ses pas, monte la Cendre. Elle est grise, onduleuse, muette, et le Feu ne la voit d'abord pas. Puis, l'ayant vue, il joue avec elle. Elle joue avec lui. Elle tente, sous ses longs voiles gris, de maîtriser le Feu. Il rit, s'échappe et danse. Le jeu continue jusqu'au moment où, las de lutter, le Feu se laisse étreindre. Il tente un dernier sursaut pour se libérer, brille encore un instant, puis s'endort, roulé dans les longs bras et les longs voiles. Au moment où il cesse de briller, l'ombre envahit la chambre, le crépuscule est venu, il étoile déjà les vitres et la couleur du ciel présage le lever de la pleine lune.

L'ENFANT, *à demi-voix.*

J'ai peur, j'ai peur...

Des rires menus lui répondent. Il cherche, et voit se soulever les lambeaux déchirés de la tenture. Tout un cortège des petits personnages peints sur le papier s'avance, un peu ridicules et très touchants. Il y a la Pastoure, le Pâtre, les moutons, le chien, la chèvre, etc... Une musique naïve de pipeaux et de tambourins les accompagne.

LES PATRES, *aux Pastoures.*

Adieu, pastourelles !

LES PASTOURES, *répondant.*

Pastoureaux, adieu !

EUX.

Nous n'irons plus sur l'herbe mauve
Paître nos verts moutons !

ELLES, *en sourdine.*

Adieu !

EUX.

Las, notre chèvre amarante !
Notre chien bleu !

ELLES.

Las, nos agneaux rose tendre !
Las, nos cerises zinzolin !

EUX.

Le bras tendu, pastourelles,

ELLES.

La bouche en cœur, pastoureaux,

EUX.

Nos amours semblaient éternelles.

ELLES.

Éternels semblaient nos pipeaux.

L'UN D'EUX.

L'Enfant méchant a déchiré
Notre tendre histoire.
Pâtre de-ci, pastourelle de-là,

L'Enfant méchant qui nous doit
Son premier sourire.

L'UNE D'ELLES.

L'Enfant ingrat qui dormait sous la garde
De notre chien bleu.
Las, notre chèvre amarante !

L'UN D'EUX.

Las, nos verts et roses moutons !

> *Ballet des petits personnages, qui expriment, en dansant, le chagrin de ne pouvoir plus se joindre. Ils s'en vont, et eux avec la musique de cornemuses et de tambourins. L'Enfant s'est laissé glisser tout de son long à terre, la figure sur ses bras croisés. Il pleure. Il est couché sur les feuillets lacérés des livres, et c'est l'un des grands feuillets sur lequel il est étendu, qui se soulève comme une dalle, pour laisser passer d'abord une main langoureuse, puis une chevelure d'or, puis toute une Princesse adorable de conte de Fées, qui semble à peine éveillée, et étire ses bras chargés de joyaux.*

L'ENFANT, *émerveillé.*

Ah ! C'est Elle ! C'est Elle !

LA PRINCESSE.

Oui, c'est Elle, ta Princesse enchantée,
Celle que tu appelais dans ton songe,
     La nuit passée.
Celle dont l'histoire, commencée hier,
Te tint éveillé si longtemps.
Tu te chantais à toi-même ! « Elle est blonde
Avec des yeux couleur du temps. »
Tu me cherchais dans le cœur de la rose

Et dans le parfum du lys blanc.
Tu me cherchais, tout petit amoureux,
Et j'étais depuis hier ta première bien-aimée.
Mais tu as déchiré le livre,
Que va-t-il arriver de moi ?
Qui sait si le malin enchanteur
Ne va pas me rendre au sommeil de la mort,
Ou bien me dissoudre en nuée ?
Dis, n'as-tu pas regret d'ignorer à jamais,
Le sort de ta première bien-aimée ?...

L'ENFANT, *tremblant.*

Oh ! Ne t'en va pas ! Reste ! Dis-moi...
Et l'arbre où chantait l'Oiseau bleu ?

LA PRINCESSE, *désignant les feuillets épars.*

Vois ses branches, vois ses fruits, hélas...

L'ENFANT, *anxieux.*

Et ton collier, ton collier magique ?

LA PRINCESSE, *de même.*

Vois ses anneaux rompus, hélas...

L'ENFANT.

Ton Chevalier ! Le Prince au Cimier couleur d'aurore ? Qu'il vienne, avec son épée ! Si j'avais une épée ! Une épée ! Ah ! dans mes bras, dans mes bras ! Viens, je saurai te défendre !

LA PRINCESSE, *se tordant les bras.*

Hélas, petit ami trop faible,
Que peux-tu pour moi ?

20

Sait-on la durée d'un rêve ?
Mon songe était si long, si long,
Que peut-être, à la fin du songe,
C'eût été toi, le Prince au Cimier d'aurore !...

Le sol bouge et s'ouvre au-dessous d'elle ; elle appelle :

A l'aide ! A l'aide ! Le Sommeil et la Nuit veulent me reprendre !
à l'aide !

L'ENFANT, *la retenant en vain par sa chevelure d'or,*
par ses voiles, par ses longues mains blanches :

Je vaincrai ! Mon épée ! Mon épée !

Mais une force invisible aspire la Princesse qui dis-
paraît sous la terre.

L'ENFANT, *seul et désolé, à mi-voix.*

Toi, le cœur de la rose,
Toi, le parfum du lys blanc,
Toi, tes mains et ta couronne,
Tes yeux bleus et tes joyaux...
Tu ne m'as laissé, comme un rayon de lune,
Qu'un cheveu d'or sur mon épaule,
Un cheveu d'or... et les débris d'un rêve...

Il se penche, et cherche parmi les feuillets épars la
fin du conte de Fées, mais en vain... Il cherche...

Rien... Tous ceux-ci sont des livres arides,
D'amères et sèches leçons.

Il les pousse du pied, mais de petites voix aigres
sortent d'entre les pages, qui se soulèvent et laissent
voir les malicieuses et grimaçantes petites figures
des chiffres. D'un grand album, plié en forme de
toit, sort un petit vieillard bossu, crochu, barbu,
vêtu de chiffres, coiffé d'un π, ceinturé d'un mètre
de couturière et armé d'une équerre. Il tient un livre

*de bois qui claque en mesure, et il marche à tout
petits pas dansés, en récitant des bribes de problèmes :*

LE PETIT VIEILLARD.

Deux robinets coulent dans un réservoir !
Deux trains omnibus quittent une gare
    A vingt minutes d'intervalle,
    Valle, valle, valle !
    Une paysanne,
    Zanne, zanne, zanne,
Porte tous ses œufs au marché !
Un marchand d'étoffe,
    Toffe, toffe, toffe,
A vendu six mètres de drap !

*Il aperçoit l'Enfant et se dirige vers lui de la plus
malveillante manière.*

L'ENFANT, *affolé.*

Mon Dieu ! C'est l'Arithmétique !

LE PETIT VIEILLARD, *acquiesçant.*

Tique, tique, tique !

*Il danse autour de l'Enfant, en multipliant les passes
maléfiques, et chante en fausset :*

Quatre et quat' dix-huit,
Onze et six vingt-cinq,
Sept fois neuf trente-trois.

L'ENFANT, *fasciné, répétant.*

Sept fois neuf trente-trois ?

LE CHŒUR DES CHIFFRES, *soulevant les feuillets
et piaillant.*

Sept fois neuf trente-trois ?

23

L'ENFANT, *exagérant résolument.*

Trois fois neuf quat' cent !

LE PETIT VIEILLARD, *il se balance, pour prendre*
le mouvement de la ronde.

Millimètre,
Centimètre,
Décimètre,
Décamètre,
Hectomètre,
Kilomètre,
Myriamètre,
Faut t'y mettre,
Quelle fête !
Des billions,
Des trillions,
Et des frac-cillions !

LES CHIFFRES, *entraînant l'Enfant dans leur danse.*

Trois fois neuf trent' trois !
Deux fois six vingt-sept !
Quatre et sept cinquante-neuf !
Deux fois six trente et un !
Cinq fois cinq quarante-trois !
Sept et quat' cinquante-cinq !

> *Ronde folle, où l'Enfant, entraîné, harcelé, tombe,*
> *étourdi, tout de son long. Le Petit Vieillard et le*
> *chœur s'éloignent.*
>
> *Presque parlé.*

Quatre et quat' dix-huit !
Onze et six vingt-cinq !

> *L'Enfant se relève péniblement sur son séant. La*
> *lune est levée, elle éclaire la pièce. Le Chat noir sort*
> *lentement de dessous le fauteuil. Il s'étire, bâille*

24

et fait sa toilette. L'Enfant ne le voit pas d'abord et s'étend, harassé, la tête sur un coussin de pieds. Le Chat joue et roule une balle de laine. Il arrive auprès de l'Enfant, et veut jouer avec la tête blonde comme avec une pelote :

L'ENFANT.

Oh ! Ma tête ! ma tête !

Il se relève à demi et voit le Chat.

C'est toi, Chat ? Que tu es grand et terrible ! Tu parles aussi, sans doute ?

Le Chat fait signe que non, jure et se détourne de l'Enfant. Il joue avec sa pelote. La Chatte blanche paraît dans le jardin. Le Chat interrompt son jeu.
Duo miaulé musicalement.

Le Chat va rejoindre la Chatte. L'Enfant le suit peureusement, attiré par le jardin. A ce moment, les parois s'écartent, le plafond s'envole et l'Enfant se trouve, avec le Chat et la Chatte, transporté dans le jardin éclairé par la pleine lune et la lueur rose du couchant. Des arbres, des fleurs, une toute petite mare verte, un gros tronc vêtu de lierre. Musique d'insectes, de rainettes, de crapauds, de rires de chouettes, de murmures de brise et de rossignols.

L'ENFANT, *ouvrant les bras.*

Ah ! Quelle joie de te retrouver, Jardin !

Il s'appuie au gros tronc d'arbre qui gémit.

26

L'ENFANT, *effrayé de nouveau.*

Quoi ?

L'ARBRE, *gémissant.*

Ma blessure... ma blessure...

L'ENFANT.

Quelle blessure ?

L'ARBRE.

Celle que tu fis aujourd'hui à mon flanc, avec le couteau dérobé...
Hélas ! Elle saigne encore de sève...

LES AUTRES ARBRES, *gémissant et se balançant.*

Nos blessures... nos blessures... Elles sont fraîches, et saignent
encore de sève... ô méchant !

*L'Enfant, apitoyé, appuie sa joue contre l'écorce
du gros arbre. Une libellule passe, grésillante, et
disparaît. Elle repasse encore. D'autres la suivent.
Un Sphinx du laurier-rose l'imite. D'autres sphinx,
d'autres libellules.*

UNE LIBELLULE, *celle qui a passé la première, chante en volant :*

Où es-tu ?
Je te cherche...
Le filet...
Il t'a prise...
O toi, chère,
Longue et frêle,
Tes turquoises,
Tes topazes,
L'air qui t'aime
Les regrette
Moins que moi...

27

Seule, seule,
Je languis...
Je te cherche...

> *A l'Enfant, en tournoyant au-dessus de sa tête :*

Rends-la-moi !
Où est-elle ?
Ma compagne,
Rends-la-moi !

L'ENFANT.

Je ne peux pas ! Je ne peux pas !

LA LIBELLULE, *pressante.*

Où est-elle ?

L'ENFANT, *se détournant.*

Je ne puis... *(A part.)* La libellule que j'ai prise... Percée d'une épingle... contre le mur. *(Horrifié.)* Ah !...

UNE AUTRE VOIX, *en l'air.*

Rends-la-moi... Tsk, tsk... Rends-la-moi... Tsk... Ma compagne... La Chauve-Souris... tu sais ?

L'ENFANT, *baissant la tête.*

Je sais !

LA CHAUVE-SOURIS, *volant.*

Le bâton... Tsk, tsk... la poursuite... hier soir... Tsk... Ta victoire... Et la petite bête, là, morte à tes pieds...

L'ENFANT.

Grâce !

LA CHAUVE-SOURIS.

Le nid plein... Les petits... sans leur mère. Il faut... tsk, tsk, qu'on les nourrisse...

L'ENFANT.

Sans mère !...

LA CHAUVE-SOURIS.

Alors, nous... tsk, tsk... Nous volons. Nous chassons... Nous tournons... nous chassons... Nous happons... tsk... tsk... C'est ta faute...

> Ronde des Chauve-Souris. Au-dessous, une petite Rainette émerge de la mare, s'appuie des deux mains au bord. Une autre fait de même, puis une autre, et la mare se trouve couronnée de Rainettes, bien serrées l'une contre l'autre, et coassantes. En coassant, elles sortent, et se mettent à jouer à la manière des Rainettes. L'une d'elles, ayant dansé, s'appuie de la main au genou de l'Enfant.

L'ÉCUREUIL, *sèchement, du haut de l'arbre,*
parmi un bruit de noisettes éclatées :

Sauve-toi, sotte ! Et la cage ? La cage ?

LA RAINETTE.

Kekekekekecekça ?

L'ÉCUREUIL, *à la fourche des deux basses branches,*
et toussant à la manière des écureuils :

La prison. Heu heu. La prison. Le fer qui pique, entre deux barreaux. Heu, heu. J'ai pu fuir, mais tes quatre petites mains mouillées ne valent pas les miennes.

30

LA RAINETTE.

Que que que dis-tu ? Je ne connais pas la cacacacage. Je connais la mouche qu'on me jette. *(Elle saute.)* Ploc ! Et le chiffon rouge. *(Elle saute).* Ploc ! L'appât vient, je bondis, on me prend, je m'échappe, je reviens. Ploc !

L'ÉCUREUIL.

Sans-cervelle ! Tu auras mon sort !

L'ENFANT, *à l'Écureuil.*

La cage, c'était pour mieux voir ta prestesse, tes quatre petites mains, tes beaux yeux...

L'ÉCUREUIL, *sarcastique.*

Oui, c'était pour mes beaux yeux ! Sais-tu ce qu'ils reflétaient, mes beaux yeux ? Le ciel libre, le vent libre, mes libres frères, au bond sûr comme un vol... Regarde donc ce qu'ils reflétaient, mes beaux yeux tout miroitants de larmes !

> *Pendant qu'il parle, le jardin se peuple d'écureuils bondissants. Leurs jeux, leurs caresses, suspendus en l'air, n'inquiètent pas ceux des rainettes, au-dessous. Un couple de sphinx du laurier-rose les imite. D'autres groupes se nouent, se défont. Le jardin, palpitant d'ailes, rutilant d'écureuils, est un paradis de tendresse et de joie animales.*

L'ENFANT.

Ils s'aiment. Ils sont heureux. Ils m'oublient...

> *Le Chat noir et la Chatte blanche paraissent au faîte d'un mur. Le Chat lèche amicalement les oreilles de la Chatte, joue avec elle ; ils s'éloignent, l'un suivant l'autre, sur le faîte étroit du mur.*

31

L'ENFANT.

Ils s'aiment... Ils m'oublient... Je suis seul... *(Malgré lui il appelle :)* Maman !...

> *A ce cri, toutes les Bêtes se dressent, se séparent, les unes fuient, les autres accourent menaçantes, mêlent leurs voix à celles des arbres, s'écrient :*

LES BÊTES ET LES ARBRES.

C'est l'Enfant au couteau !
C'est l'Enfant au bâton !
Le méchant à la cage !
Le méchant au filet !
Celui qui n'aime personne
Et que personne n'aime !
Faut-il fuir ?
Non ! Il faut châtier.
J'ai mes griffes !
J'ai mes dents !
J'ai mes ailes onglées !
Unissons-nous, unissons-nous !

> *Toutes les bêtes fondent à la fois sur l'Enfant, le cernent, le poussent, le tirent. C'est une frénésie, qui devient lutte, car chaque bête veut être seule à châtier l'Enfant, et les bêtes commencent à s'entre-déchirer. L'Enfant, pris, délivré, repris, passe de pattes en pattes. Au plus fort de la lutte, il est projeté dans un coin de la scène, et les bêtes l'oublient, dans leur ivresse de combattre. Presque en même temps, un petit écureuil blessé, vient choir auprès de l'Enfant, avec un cri aigu. Les bêtes, honteuses, s'immobilisent, se séparent, entourent de loin l'écureuil qu'elles ont meurtri... Arrachant un ruban de son cou, l'Enfant lie la patte blessée de l'écureuil, puis retombe sans force. Profond silence, stupeur parmi les bêtes.*

UNE BÊTE, *dans le grand silence.*

Il a pansé la plaie...

33

UNE AUTRE BÊTE.

Il a pansé la plaie... Il a lié la patte... étanché le sang.

D'AUTRES BÊTES, *en chœur, en sourdine.*

Il a pansé la plaie...

LES BÊTES, *entre elles.*

Il souffre... Il est blessé... Il saigne... Il a pansé la plaie... Il faut lier la main... étancher le sang... Que faire ? Il sait, lui, guérir le mal... Que faire ? Nous l'avons blessé... Que faire ?

UNE BÊTE.

Il appelait, tout à l'heure...

LES BÊTES, *bas.*

Il appelait...

UNE BÊTE.

Il a crié un mot, un seul mot : « Maman ! »

LES BÊTES, *bas, répétant.*

« Maman... »

> *Elles se sont rapprochées, elles entourent l'Enfant gisant. Les Écureuils se suspendent aux branches au-dessus de lui, les Libellules l'éventent de leurs ailes.*

UNE BÊTE.

Il se tait... Va-t-il mourir ?

LES BÊTES.

Nous ne savons pas lier la main... étancher le sang...

34

UNE BÊTE, *désignant la maison.*

C'est là qu'est le secours ! Ramenons-le au nid ! Il faut que l'on entende, là-bas, le mot qu'il a crié tout à l'heure... Essayons de crier le mot...

Les bêtes, toutes ensemble, soulèvent l'Enfant inerte et pâle, et l'emportent, pas à pas, vers la maison.

LES BÊTES, *hésitantes, en sourdine.*

« Ma...man... » *(Plus haut.)* « Ma-man ! »

L'Enfant ouvre les yeux, essaie de se tenir debout. De la patte, de l'aile, de la tête, des reins, les bêtes le soutiennent encore...

LES BÊTES, *toujours plus haut.*

« Maman ! »

Une lumière paraît aux vitres, dans la maison. En même temps, la lune, dévoilée, l'aube, rose et d'or, inondent le jardin d'une clarté pure. Chant de rossignols, murmures d'arbres et de bêtes. Les bêtes, une à une, retirent à l'Enfant leur aide qui devient inutile, défont harmonieusement, à regret, leur groupe serré contre l'Enfant, mais elles l'escortent d'un peu plus loin, le fêtent de battements d'ailes, de culbutes de joie, puis, limitant à l'ombre des arbres leur bienveillant cortège, laissent l'Enfant seul, droit, lumineux et blond, dans un halo de lune et d'aube, et tendant ses bras vers celle que les bêtes ont appelée :

Maman !
Il est sage... si sage... il est bon, il est sage... si sage... si sage...

CET ALBUM, DONT LA SÉLECTION ET
LES FILMS ONT ÉTÉ EXÉCUTÉS PAR
BUSSIÈRE, A PARIS, A ÉTÉ ACHEVÉ
D'IMPRIMER LE TRENTE OCTOBRE
MIL NEUF CENT SOIXANTE-SEPT
SUR LES PRESSES DE L'IMPRIMERIE
M. DÉCHAUX, A PARIS

Imprimerie M. Déchaux, Paris - 10-1967 - Dépôt légal : 4e trimestre 1967 - Flammarion et Cie, éditeurs (N° 6023) - N° d'impression : 735.

17.30